MISSION : ADOPTION

MARGOT

Fais connaissance avec les chiots
de la collection *Mission : Adoption*!

MISSION : ADOPTION

MARGOT

ELLEN MILES

Texte français de Laurence Baulande

Éditions SCHOLASTIC

Pour Chica Maria et ses filles, Zoe et Luna

Catalogage avant publication de Bibliothèque et Archives Canada
Miles, Ellen
Margot / Ellen Miles ; texte français de Laurence Baulande.

(Mission, adoption)
Traduction de: Scout.
Niveau d'intérêt selon l'âge: Pour les 7-10 ans.
ISBN 978-0-545-98806-3

I. Baulande, Laurence II. Titre. III. Collection : Miles, Ellen.
Mission, adoption.
PZ23.M545Ma 2008   j813'.6   C2008-903714-6

Illustration de la couverture : Tim O'Brien
Conception graphique de la couverture : Steve Scott

Édition publiée par les Éditions Scholastic,
604, rue King Ouest, Toronto (Ontario) M5V 1E1.

5 4 3 2 1   Imprimé au Canada   08 09 10 11 12

Préservons notre environnement

Imprimé sur du papier contenant 30 % de matériaux recyclés

arbres de nos forêts ont été sauvés.

Scholastic Canada a choisi d'imprimer ce livre sur du papier recyclé et a
réduit sa consommation de ressources[1] et sa pollution[1] dans les mesures suivantes :

énergie	eau	gaz à effet de serre	déchets solides
25 millions de BTU	47 104 litres	1 736 kg	666 kg

Imprimé par **Webcom Inc.** sur du papier
Legacy Trade Book White 30% à contenu postconsommation de 30 %.

FSC

Sources Mixtes
Groupe de produits issu de
forêts bien gérées et de bois
ou fibres recyclés

Cert no. SW-COC-002358
www.fsc.org
© 1996 Forest Stewardship Council

[1] L'estimation des effets sur l'environnement a été faite au moyen du calculateur «Environmental Defense Paper Calculator».

CHAPITRE UN

— Attention, il ne faut pas manquer la sortie pour l'aéroport.

Nathalie jeta un coup d'œil à une pancarte.

— C'est bon, c'est la prochaine à droite.

— J'ai tellement hâte!

Rosalie s'agita sur son siège. Elle était vraiment contente que Nathalie l'ait invitée à venir avec elle! Toutes les deux se rendaient à l'aéroport pour accueillir un petit chiot très spécial. Rosalie aimait beaucoup Nathalie Lacombe qui travaillait dans la même équipe que son père à la caserne de pompiers de Saint-Jean. Nathalie adorait les chiens, tout comme Rosalie. Les deux amies pouvaient en parler pendant des heures.

— Nathalie, dit Rosalie, peux-tu me répéter tout ce que tu sais sur ce chiot?

– Eh bien, c'est une petite chienne qui s'appelle Margot et qui est née dans une ferme en Gaspésie.

– Margot, répéta Rosalie.

Elle aimait ce nom. C'était parfait pour une jeune chienne berger allemand.

– Et tu dis qu'elle a quatre mois?

– C'est ça, répondit Nathalie. C'est l'âge qu'avait Elfie quand je l'ai sauvée.

Elfie était le berger allemand de Nathalie. Elle avait cinq ans maintenant. Elfie avait été abandonnée quand elle était toute petite et Nathalie l'avait recueillie. C'est pour ça que Nathalie disait qu'elle l'avait « sauvée ». Rosalie savait qu'il y avait beaucoup de chiens et de chiots abandonnés comme Elfie. Comme Nathalie adorait les bergers allemands, elle faisait tout son possible pour aider les chiens de cette race à trouver de nouveaux maîtres. Elle était parfois amenée à travailler avec des gens qui habitaient à l'autre bout du pays! L'association « Sauvons les bergers allemands » dont la jeune pompière s'occupait était chargée de faire passer l'information quand un chien ou un chiot avait besoin d'une nouvelle famille. Ce jour-là, Nathalie avait demandé à Rosalie de l'accompagner à l'aéroport pour récupérer Margot qui arrivait tout droit de Gaspésie!

Nathalie connaissait trois familles désireuses d'adopter un petit berger allemand. C'est pour cette raison que les deux amies filaient maintenant sur l'autoroute en direction de l'aéroport dans la fourgonnette bleue de Nathalie. La fourgonnette était spécialement aménagée à l'arrière avec une grande cage pour Elfie. Mais Nathalie avait laissé sa chienne chez Rosalie afin de pouvoir utiliser la cage pour Margot.

Elfie voyageait souvent avec sa maîtresse dans la fourgonnette bleue, car elle travaillait comme chien de recherche et de sauvetage. Nathalie l'avait entraînée pendant plusieurs années et maintenant elles faisaient équipe ensemble.

— Peut-être que c'est parce qu'elle aussi, elle a été sauvée, avait confié Nathalie à Rosalie, mais Elfie a vraiment l'air d'aimer secourir les autres.

Rosalie savait que les chiens de recherche et de sauvetage, ainsi que leurs maîtres, se rendaient partout où l'on avait besoin d'eux. Ils pouvaient aller dans des parcs nationaux pour retrouver un enfant qui s'était perdu, sur les lieux d'une catastrophe comme un tremblement de terre, mais aussi en montagne pour retrouver les skieurs piégés par une avalanche. Les chiens comme Elfie utilisaient leur odorat pour retrouver les gens, même dans les pires conditions. Depuis qu'elle travaillait avec Nathalie, Elfie avait sauvé des dizaines de vies. C'était une véritable héroïne.

Elfie était belle et intelligente. C'était un des chiens préférés de Rosalie. La fillette avait *beaucoup* de chiens préférés. En fait, elle tombait en amour avec à peu près tous les chiens qu'elle rencontrait. Mais certains étaient vraiment spéciaux. Comme Elfie. Et comme Biscuit, le chiot que Rosalie et sa famille avaient adopté peu de temps auparavant.

Biscuit était l'un des nombreux chiots que les Fortin avaient accueillis chez eux. En tant que famille d'accueil, ils prenaient soin de chiots abandonnés jusqu'à ce qu'ils leur trouvent un nouveau foyer. Rosalie et son jeune frère Charles avaient réussi à convaincre leurs parents que s'occuper de jeunes chiots était une activité familiale très enrichissante. Quant au Haricot, leur petit frère (son vrai nom était Adam), ils n'avaient pas eu besoin de le convaincre. Il était *fou* des chiots; en fait, il avait l'air de penser qu'il en *était* un. Il adorait faire semblant d'être un chien. Parfois Rosalie se demandait si le Haricot ne prenait pas Biscuit pour son petit frère!

Biscuit était roux, avec quelques taches brunes et une marque blanche en forme de cœur sur la poitrine. Au départ, c'était un chiot minuscule, l'avorton de la portée. (Cela veut dire qu'il était plus petit que ses deux sœurs.) Mais maintenant, c'était un chiot heureux et en santé. Biscuit était tellement gentil! Rosalie aimait lui faire des câlins après avoir joué avec lui. Il léchait son visage, se blottissait sur ses genoux et s'endormait. Sa chaude et douce fourrure sentait merveilleusement bon. Rosalie aurait pu embrasser ses oreilles soyeuses et caresser son petit ventre rose toute la journée. La fillette adorait Biscuit.

Parfois, Rosalie avait encore du mal à croire que ses parents se soient finalement décidés à adopter Biscuit. Elle et son frère Charles voulaient un chien depuis si longtemps! À chaque fois qu'ils avaient accueilli un chiot, ils avaient espéré le garder. Mais ce n'était jamais le bon moment pour les Fortin. Alors, à la place, Charles et Rosalie avaient trouvé un foyer parfait à chacun des chiots. Puis Biscuit était arrivé et toute la famille Fortin était tombée en amour avec lui. Maintenant c'était son chien pour toujours.

Rosalie s'estimait chanceuse d'avoir un chien à aimer. Et elle savait que Biscuit aussi était chanceux d'avoir trouvé une famille attentionnée comme la sienne. Elle aurait beaucoup aimé que chaque chiot dans le monde se trouve un bon foyer.

— Comment vas-tu choisir la famille à laquelle tu donneras Margot? demanda Rosalie à Nathalie alors qu'elles entraient dans le stationnement de l'aéroport.

— Eh bien, ce sont les Goldman qui attendent depuis le plus longtemps, répondit Nathalie. Donc, je vais sûrement les appeler en premier. Mais d'abord, je dois vérifier que Margot est en bonne santé et que tous ses papiers sont en règle.

Elle gara la fourgonnette.

— Prête? demanda-t-elle à Rosalie. Allons voir à quoi ressemble cette petite Margot. Je pense qu'elle est dans l'avion là-bas qui va bientôt atterrir.

Nathalie montra du doigt un petit avion blanc avec des dessins rouges qui survolait l'aéroport.

Rosalie regarda l'avion qui descendait, puis atterrissait sur la piste. Il continua à rouler et finit par s'arrêter près de l'aérogare.

Le pilote de l'appareil appartenait à une association, Les Ailes de l'amour, qui secourait les animaux. La fillette en avait déjà entendu parler, mais c'était la première fois qu'elle voyait quelqu'un de cette association en action. Tout excitée, elle regarda la porte de l'avion s'ouvrir.

Un homme sauta hors de l'appareil et fit un signe à Nathalie.

– J'ai ton chien! cria-t-il. C'est un petit chiot adorable.

Il remonta dans l'avion et, après quelques secondes, reparut dans l'encadrement de la porte. Il tenait un petit chiot brun et noir dans les bras.

Le chiot leva la tête pour regarder le ciel et cligna des yeux. Puis il bailla en étirant une de ses petites pattes.

– Oh, qu'elle est mignonne! s'exclama Nathalie.

– Oh!

La petite chienne plut tout de suite à Rosalie.

Margot était enfin arrivée.

CHAPITRE DEUX

– Rosalie, veux-tu tenir Margot pendant que je vérifie ses papiers? demanda Nathalie.

Les yeux de Rosalie brillèrent de plaisir. Oh oui, elle avait très envie de tenir Margot. Elle ne demandait pas mieux. Elle prit Margot dans ses bras et enfouit son nez dans la douce fourrure de la petite chienne.

– Bienvenue à Saint-Jean, murmura-t-elle.

Margot était bien au chaud dans les bras de la fillette. Elle s'y sentait en sécurité. Le voyage en avion avait été amusant, mais tout de même un peu bruyant et effrayant. Margot aimait l'aventure, mais elle aimait aussi les câlins.

– Voici son certificat de vaccination contre la rage et le reste de son dossier médical, expliqua le pilote.

Il remit les papiers à Nathalie.

— C'est une petite chienne en santé et tous ses vaccins sont à jour.

Nathalie approuva d'un signe de tête. Rosalie, elle, n'écoutait pas vraiment. Elle observait le chiot dans ses bras.

Margot était absolument adorable. Sa fourrure était douce comme du duvet et ses yeux étaient d'un brun profond. Ses oreilles, qui semblaient presque trop grandes pour son corps, tombaient un peu sur les côtés. Rosalie savait que, au début, les bergers allemands ont les oreilles tombantes. Quand Margot grandirait, ses oreilles se redresseraient et elle ressemblerait davantage aux bergers allemands que l'on voit au cinéma et dans les livres.

Rosalie savait aussi que certaines personnes avaient peur des bergers allemands. Elle ne comprenait pas trop pourquoi. Peut-être que c'était parce qu'ils étaient parfois utilisés comme chiens de garde et donc dressés à avoir l'air méchant.

Le chien de Nathalie, Elfie, était le chien le plus doux et le plus gentil du monde. Même la mère de Rosalie, qui parfois se sentait un peu nerveuse en présence de gros chiens, aimait beaucoup Elfie et la laissait jouer avec le Haricot.

Rosalie savait que certains chiens ne réagissaient pas très bien avec les jeunes enfants, mais Elfie était toujours très patiente, même quand le Haricot lui mettait les doigts dans les oreilles. Elfie s'entendait bien aussi avec Biscuit. Les deux chiens adoraient être ensemble.

Quant à Margot, il était impossible *que qui que ce soit* puisse avoir peur d'un si mignon petit chiot... Rosalie gratta encore une fois le cou de la chienne pendant que Nathalie prenait congé du pilote. Puis Rosalie aida Nathalie à faire entrer Margot dans la cage à l'arrière de la fourgonnette.

– J'aurais tellement aimé pouvoir la garder sur mes genoux, dit Rosalie.

– Je sais, mais elle sera plus en sécurité ici.

Nathalie jeta un coup d'œil dans son rétroviseur.

– Regarde, elle s'est déjà endormie.

Rosalie se retourna. Margot s'était roulée en une minuscule petite boule de poils. Sa tête était posée sur un des jouets en peluche d'Elfie. Elle était tellement mignonne!

En route, Nathalie raconta à Rosalie quelques-uns des exploits d'Elfie.

– Tu devrais la voir quand elle travaille, dit Nathalie.

Elle est tellement concentrée que rien ne pourrait la distraire. Même si j'agitais un hot dog juste devant son museau.

— *J'adorerais* la voir en action, dit Rosalie.

— Eh bien, tu es chanceuse, dit Nathalie avec un grand sourire. Il est justement prévu que je vienne faire une démonstration dans ton école vendredi prochain avec Elfie. Et mon ami Pierre-André, un policier qui travaille lui aussi avec son chien, sera là également.

— C'est vrai? Génial!

C'était à coup sûr un événement à ne pas manquer.

Au moment où Nathalie garait la fourgonnette dans l'allée des Fortin, Charles et le Haricot sortirent en courant de la maison.

— Où est le chiot? demanda Charles.

Il jeta un coup d'œil par la vitre arrière de la fourgonnette.

— Oh! Comme elle est mignonne!

Il souleva le Haricot pour que lui aussi puisse voir la petite Margot.

— Iot! Iot! cria le Haricot.

— Penses-tu que Margot s'entendra bien avec Elfie et Biscuit? demanda Rosalie à Nathalie.

– Nous allons le découvrir, répondit Nathalie. Il vaut mieux faire les présentations dans la cour arrière où ils auront de la place pour courir.

– Je vais faire sortir Biscuit et Elfie! dit Charles.

Le garçon rentra à l'intérieur de la maison pendant que Rosalie aidait Nathalie à sortir Margot de la fourgonnette.

En voyant Margot dans les bras de Rosalie, le Haricot rit de son petit rire de bébé. Il tendit les mains.

– Iot! Iot!

– Il veut lui faire un câlin, expliqua Rosalie à Nathalie.

– Plus tard, peut-être, dit la fillette à son petit frère.

Mais elle le laissa caresser le chiot et regarda attentivement Margot pour voir comment elle *réagissait*.

Margot aimait la manière dont le petit garçon la flattait. Il parlait fort, mais il était gentil. Elle sentait qu'ils allaient être de bons amis tous les deux.

La mère et le père de Rosalie sortirent sous le porche

pour regarder les chiens faire connaissance.

– Oh! quel petit trésor! dit maman.

– Elle ressemble beaucoup à Elfie quand elle était petite, ajouta papa. Si elle devient aussi bonne qu'Elfie, ne serait-ce que pour moitié, ce sera un super chien.

Elfie était souvent à la caserne de pompiers et Rosalie savait que tous les pompiers l'adoraient.

Elfie et Biscuit s'étaient approchés de leur groupe pour voir ce qu'il y avait de si intéressant. Quand Elfie aperçut Margot, elle dressa les oreilles et commença à gémir d'excitation. Biscuit aussi était excité. Il posa ses pattes avant sur Rosalie pour essayer de toucher le museau de Margot avec son propre nez.

Super! Un nouvel ami. Biscuit aimait beaucoup Elfie, mais celle-ci était un peu ennuyeuse. Elle ne voulait pas courir, ni jouer ni se rouler par terre. Peut-être qu'avec ce petit chien, on allait s'amuser davantage.

Margot ne semblait pas gênée du tout. Elle se tortillait dans les bras de Rosalie comme si elle voulait descendre.

– Qu'en penses-tu? demanda Rosalie à Nathalie.

— Je pense que ça va bien se passer, répondit Nathalie. Tu peux la poser par terre.

Dès que Margot fut au sol, les trois chiens commencèrent à se renifler en agitant très fort la queue. Margot mordilla le menton d'Elfie, et Elfie posa doucement la patte sur elle, comme pour lui dire « alors, ma petite ». Biscuit sautait devant Margot et allongeait ses deux pattes avant. Rosalie savait que cela voulait dire : « Viens jouer, viens jouer. »

Puis les deux chiots partirent en courant, aussi vite que le permettaient leurs petites pattes. Ils se roulèrent par terre, firent des galipettes, se mordillèrent et poussèrent de petits grognements de chiots. Elfie les suivait à distance comme une mère inquiète pour ses petits.

— Biscuit a trouvé une amie! dit Rosalie.

— Et Elfie a trouvé un bébé à surveiller, ajouta Nathalie. Je pense que Margot est en bonnes mains.

Elle sortit son cellulaire.

— Je vais appeler les Goldman pour leur annoncer la bonne nouvelle!

Elle fit un numéro et, un peu à l'écart du groupe, appela la nouvelle famille de Margot.

CHAPITRE TROIS

– Allô? dit Nathalie. Madame Goldman?

Rosalie savait que c'était une bonne chose que Margot ait un foyer. Pourtant, elle ne pouvait pas s'empêcher de se sentir un peu triste à l'idée de devoir déjà dire au revoir à cette mignonne petite chienne.

Mais Rosalie ne resta pas triste longtemps, car au même moment Biscuit passa en trombe à côté d'elle en traînant un jouet en corde aussi grand que lui. Margot galopait derrière lui, essayant à la fois de rattraper son ami et de mordre le jouet. C'était un peu trop compliqué pour la petite chienne, et Rosalie éclata de rire quand Margot trébucha sur son pied. Elfie fermait la marche, d'un air digne et responsable. Enfin jusqu'à ce qu'elle attrape le jouet et le lance en l'air pour taquiner les deux chiots.

Rosalie, Charles et leurs parents riaient en regardant les chiens jouer ensemble. C'était tout un spectacle. Margot était la plus petite des trois. On aurait dit une Elfie en miniature, avec juste une fourrure un peu plus douce et des oreilles tombantes. Biscuit était plus grand. Il arrivait à peu près à la hauteur des épaules d'Elfie. Il avait grandi depuis que les Fortin l'avaient adopté mais c'était encore un chiot potelé qui aimait courir après sa queue et qui parfois – pas souvent, mais parfois – faisait des dégâts dans la maison.

Et Elfie? Elle était tellement belle. Rosalie adorait son expression toujours vigilante, son nez droit et ses grands yeux bruns et doux. Sa fourrure, un mélange de brun, de roux et de noir, était épaisse et brillait au soleil. Quand Elfie était assise, la tête haute, elle avait un air noble et élégant, comme une héroïne. Mais alors, elle agitait sa longue queue, faisait un beau sourire canin et réclamait un biscuit comme n'importe quel chien.

Pour le moment, Elfie était en train de trotter le long de la clôture avec le jouet en corde dans sa gueule. Les deux chiots la poursuivaient.

– Elle joue à bas-les-pattes! dit Charles en riant. Elle ne les laissera pas prendre le jouet, ils peuvent toujours courir!

Puis, soudain, la chienne vacilla et trébucha. Quand elle retrouva son équilibre et recommença à marcher, elle boitait légèrement.

– Oh non! cria Rosalie inquiète en se précipitant vers Elfie. Est-ce que ça va?

La fillette serra la chienne contre elle.

– Elle va bien, dit Nathalie.

Elle ferma son cellulaire et rejoignit Rosalie. Elle palpa la patte avant d'Elfie.

– Ça va, ma belle? demanda-t-elle.

Puis elle se tourna vers Rosalie.

– C'est juste une ancienne blessure à l'épaule qui se réveille parfois. Ce n'est pas grave.

– Alors, tu emmènes Margot chez les Goldman? dit Rosalie en se mordant les lèvres.

– Eh bien, non. Finalement, ils ne peuvent pas la prendre. Mme Goldman a fait une mauvaise chute; elle s'est cassé la jambe et aura besoin de béquilles pendant plusieurs semaines. Ils ne pourront pas s'occuper d'un chiot.

Nathalie soupira.

– Bon, je vais appeler les Tanaka. Ce sont les seconds sur ma liste.

Elle ouvrit de nouveau son cellulaire, et Rosalie se

retourna pour observer les chiens.

– Regarde Biscuit! s'exclama Charles. Il aime vraiment beaucoup Margot. Tu as vu comme il lui mordille l'oreille?

– Je pense que Biscuit aime jouer au grand frère! approuva Rosalie. Et regarde Elfie : elle *adore* Margot. Elle pourrait être sa fille.

Rosalie regarda sa mère.

– Ce sont de gentils chiens, non?

– Tout à fait, répondit Mme Fortin. D'ailleurs, Nathalie m'a dit que les bergers allemands sont rarement des chiens méchants, sauf s'ils sont dressés pour l'attaque.

– C'est exact, intervint Nathalie en fermant de nouveau son cellulaire. La plupart des bergers allemands sont des anges.

– Alors, lui demanda Rosalie, les Tanaka sont-ils heureux d'avoir un nouveau chiot?

Nathalie leva les yeux au ciel.

– Oui, on peut dire ça. Mais ce nouveau chiot ne s'appelle pas Margot et ce n'est pas un berger allemand. Ils en ont eu assez d'attendre, alors ils ont adopté un chiot du refuge pour animaux. Scamp habite chez eux depuis hier.

– Oh, non! s'écria Mme Fortin.

– C'est quand même une bonne nouvelle, dit Rosalie. Les chiens du refuge aussi ont besoin de bonnes familles.

Elle le savait car elle travaillait comme bénévole au refuge Les Quatre Pattes.

– Oui, bien sûr, tu as raison, acquiesça Nathalie. Il ne reste plus qu'à espérer que la *troisième* famille sur ma liste sera d'accord pour prendre Margot.

Elle composa un numéro et attendit que quelqu'un décroche.

– Il n'y a personne, dit-elle. Mais il y a un message sur leur boîte vocale.

L'index en l'air, elle écouta le message.

Puis elle raccrocha en soupirant.

– Ils sont partis en vacances pour un mois! s'exclama-t-elle en secouant la tête. Je n'arrive pas à y croire.

Pendant quelques instants, ils regardèrent les chiens jouer, sans rien dire.

– J'aurais bien aimé prendre Margot avec moi, dit Nathalie. Elle est tellement mignonne. Et intelligente aussi. Je suis sûre qu'on peut la dresser à faire plein de choses extraordinaires.

— Pourquoi ne l'adoptes-tu pas?

Rosalie pensait que Nathalie serait la maîtresse *parfaite* pour Margot.

— J'adorerais l'adopter, mais je ne peux pas.

Nathalie secoua la tête tristement.

— Elfie et moi voyageons beaucoup et on nous avertit toujours au dernier moment. C'est comme ça quand tu dois rechercher des personnes disparues. Je ne peux absolument pas prendre en charge un chiot.

— Alors, que vas-tu faire de Margot? demanda Charles.

Rosalie remarqua que les yeux de son frère s'étaient mis à briller. Cela voulait dire qu'il était en train de penser à la même chose qu'elle. Évitant le regard de sa mère, elle dit à Nathalie.

— Margot a peut-être besoin d'une famille d'accueil, non?

— C'est certain, répondit Nathalie. J'aimerais lui trouver une famille qui pourrait la dresser au sauvetage, mais ça risque de prendre un peu de temps. En attendant, elle va avoir besoin d'un foyer temporaire.

Charles et Rosalie se tournèrent en même temps vers leur mère.

– Maman? demanda Rosalie.

Tous deux savaient que maman était la personne à convaincre. Leur père aimait les chiens et plus il y en avait, mieux c'était.

– S'il te plaît?

Cette fois, le frère et la sœur avaient parlé en même temps.

Maman regardait les chiens. Roulée en boule, Elfie faisait une petite sieste. Les deux chiots s'étaient assoupis contre elle. Margot était dans le creux de son ventre et Biscuit avait posé son menton sur la patte de Margot. Les trois chiens avaient un air paisible et heureux.

– Eh bien, dit Maman, on dirait que Biscuit apprécie la présence de son amie. Margot aidera peut-être Biscuit à dépenser un peu de son trop-plein d'énergie.

– Ouiii! cria Charles en levant le poing.

– Génial! cria Rosalie.

– Zuper! cria le Haricot ravi.

Il n'avait sans doute aucune idée de ce qui rendait Charles et Rosalie si joyeux, mais il savait que c'était le moment de fêter quelque chose d'heureux.

Rosalie se tourna vers Nathalie.

– Nous t'aiderons à trouver une bonne maison pour Margot, promit-elle.

– Attendez, intervint Mme Fortin les mains sur les hanches, je n'ai pas encore dit oui.

Mais Charles, Rosalie et le Haricot ne l'entendirent même pas. Ils s'étaient précipités vers Margot pour lui dire la grande nouvelle. Ils allaient devenir sa famille d'accueil!

CHAPITRE QUATRE

— Regarde! Elfie et Nathalie sont déjà arrivées!

Charles montra du doigt la camionnette bleue garée dans le stationnement de l'école. On était vendredi matin, et Charles et sa sœur venaient juste d'arriver à l'école.

— Génial! s'exclama Rosalie. J'ai hâte de voir Elfie en action.

— Je me demande si le policier sera là aussi, dit Sammy, le meilleur ami de Charles.

Comme tous les jours, Charles, Rosalie et Sammy avaient fait ensemble le chemin jusqu'à l'école.

— Oui, il sera là, dit une voix derrière eux.

Rosalie se retourna pour faire face à Daphné Brunet, la fille la plus populaire de quatrième année.

— Vous voulez savoir comment je le sais? demanda-t-elle. C'est parce que l'officier de police, M. Michel, est mon oncle.

M. Michel devait être l'officier de police dont avait parlé Nathalie. Rosalie vit Charles et Sammy lever les yeux au ciel. Elle savait ce que ça voulait dire. Ils trouvaient que Daphné était une petite prétentieuse.

Rosalie était d'accord avec eux. Mais elle-même aimait bien se vanter un peu parfois...

— Ah oui? répondit-elle. Il connaît sûrement notre amie Nathalie alors. Elle a une chienne de recherche et de sauvetage vraiment géniale qui s'appelle Elfie. Et nous nous occupons d'un chiot pour elle, Margot. C'est son nom.

Daphné haussa les épaules.

— Nathalie est-elle officier de police? demanda-t-elle.

— Non, elle est pompière, dit Rosalie.

— Mon oncle Pierre-André a reçu cinq médailles, annonça Daphné. Pour actes de bravoure. Et Thor, son chien, en a reçu deux.

Rosalie pouvait faire encore mieux.

— Elfie, la chienne de Nathalie, a été désignée Héros canin l'année dernière! déclara la fillette.

Rosalie avait vu le diplôme d'Elfie à la caserne des

pompiers.

« Mouais » fut tout ce que Daphné trouva à répondre.

À ce moment-là, Rosalie vit Maria, sa meilleure amie, qui descendait de l'autobus.

– Faut que j'y aille! À tantôt, dit-elle à Charles, Sammy et Daphné, avant de courir rejoindre Maria.

– Salut, comment va Margot? demanda Maria.

Elle aimait presque autant les chiens que Rosalie. Et elle savait absolument tout sur les chiens d'assistance. En effet, la mère de Maria, qui était aveugle, avait un chien-guide, un beau labrador retriever jaune qui s'appelait Simba,

– Elle est trop *géniale*, répondit Rosalie. Elle joue toute la journée avec Biscuit. Ces deux-là ne s'arrêtent jamais. S'ils ne jouent pas, c'est qu'ils sont en train de dormir. Ou de manger, bien sûr.

Elle éclata de rire.

– Je pense que Margot a déjà dû prendre cinq centimètres depuis qu'elle est chez nous. Elle va être très grande.

– Aussi grande qu'Elfie? demanda Maria qui avait rencontré une fois la chienne à la caserne des pompiers.

– Plus grande, dit Rosalie. Elle deviendra un chien de sauvetage extraordinaire si nous arrivons à lui trouver une bonne famille.

À cet instant, la cloche sonna et tout le monde se dirigea vers l'école.

L'enseignante de Rosalie et de Maria, Mme Allard, était devant la porte de sa classe.

– N'enlevez pas vos manteaux les enfants, dit-elle. Nous allons commencer la journée par une réunion extraordinaire à l'extérieur.

Tout le monde se mit à parler en même temps. Mme Allard croisa les bras et attendit patiemment que le silence revienne.

– Ce matin, nous allons faire la connaissance de deux chiens très spéciaux et de leurs propriétaires, continua l'enseignante. Je ne tolérerai aucun mauvais comportement.

Rosalie leva la main.

– Madame Allard? dit-elle. Je connais l'un des chiens, Elfie. C'est le chien de Nathalie, l'amie de mon père. Vous vous rappelez? Celle qui a sauvé Margot.

Mme Allard hocha la tête. Sa classe avait beaucoup

entendu parler de Margot toute la semaine pendant les réunions du matin.

– C'est très bien, Rosalie. Je suis sûre que Nathalie est contente de venir faire une démonstration dans ton école.

Dès qu'elle eut fini de noter les présences, Mme Allard conduisit la classe au terrain de jeux, déjà plein d'enfants. La deuxième classe de quatrième année et leur enseignant, M. Gabi, étaient déjà là. De même que toutes les classes de deuxième, troisième et cinquième année avec *leurs* professeurs. Rosalie avait entendu dire que les classes de maternelle et de première année n'avaient pas été invitées, car les enfants, trop jeunes, pouvaient être effrayés par les chiens.

Rosalie vit Charles et Sammy du côté des balançoires. Elle leur fit un signe. En réponse, Charles désigna la zone du lanceur dans le terrain de jeux de ballon. Nathalie était là, qui tenait Elfie en laisse. La chienne, très intéressée par tous ces enfants, souriait à la foule. Rosalie fit un signe à Nathalie, mais sans savoir si Nathalie l'avait vue.

À côté de la pompière se tenait un homme en uniforme de policier. Il avait l'air très sérieux. Lui aussi tenait en laisse un *berger allemand*, qui avait l'air tout aussi sérieux que son maître.

Il y avait beaucoup de bruit, car tout le monde était très excité. À la connaissance de Rosalie, c'était la première fois que toute l'école, ou presque, se rassemblait comme ça sur le terrain de jeux. Mais quand le directeur, M. Scheffer, se plaça devant les classes et siffla, tout le monde se tut.

M. Scheffer avait une manière bien spéciale de siffler, avec deux doigts dans la bouche. Ça faisait un bruit *terrible*. Le père de Rosalie avait essayé d'apprendre à sa fille comment faire, mais sans succès.

— Aujourd'hui, nous avons deux, non, quatre invités tout à fait extraordinaires, annonça M. Scheffer très enthousiaste. Je vous demande d'accueillir l'officier de police M. Michel et son chien, Thor, ainsi que Nathalie Lacombe et sa chienne Elfie. Ils vont nous parler de leur travail avec leur chien et nous faire quelques démonstrations. Merci de leur accorder toute votre attention.

Il se tourna vers Nathalie.

— Veux-tu commencer, Nathalie?

— Bien sûr, répondit la pompière en souriant, droit vers Rosalie! Combien parmi vous ont des chiens?

Beaucoup d'enfants levèrent la main.

— Super! Moi aussi j'avais un chien quand j'avais votre âge. Il s'appelait Jo et on allait partout ensemble. C'était aussi un berger allemand, comme Elfie.

Elle se pencha pour flatter sa chienne. Elfie remua la queue.

— Jo était un compagnon parfait, mais Elfie est plus qu'un compagnon. Elle est ma partenaire. Nous travaillons ensemble pour aider les gens en difficulté.

Nathalie fouilla dans un grand sac posé à côté d'elle et en sortit une veste orange fluo.

— Quand elle travaille, Elfie porte cette veste, expliqua Nathalie.

Rosalie remarqua que la chienne s'était légèrement redressée en voyant la veste. Elle dressait les oreilles et ses yeux brillaient.

Nathalie remarqua également le changement d'attitude de son chien.

— Elfie *adore* son travail, ajouta-t-elle. Elle est toujours tout excitée quand je sors sa veste. Je vais la lui mettre maintenant, car nous allons vous faire une petite démonstration. Et je vais demander à mes amis Rosalie et Charles Fortin de venir m'aider.

— Tu es célèbre, dit Maria en tapant sur l'épaule de Rosalie.

La fillette sourit à son amie. Puis elle et Charles traversèrent le terrain de jeux de ballon en courant pour rejoindre Elfie et Nathalie.

CHAPITRE CINQ

— Avant de commencer, nous allons parler un peu de la manière dont il faut se conduire en présence de chiens. Quelqu'un connaît-il la première règle à respecter quand on veut caresser un chien que l'on ne connaît pas? demanda Nathalie.

Rosalie leva haut la main.

— Il faut d'abord demander à son maître, dit la fillette. Certains chiens n'aiment pas les étrangers.

— Bien, approuva Nathalie en hochant la tête. De plus, la plupart des chiens n'aiment pas être touchés par des inconnus. Donc, si le maître vous y autorise, vous tendez d'abord votre main au chien pour qu'il la renifle. Et s'il ne s'éloigne pas, vous pouvez le flatter doucement.

À ce moment-là, Elfie poussa sa tête contre la main de Rosalie pour quémander une caresse. Rosalie et

Charles se penchèrent pour gratter le berger allemand entre les oreilles pendant que Nathalie expliquait comment Elfie travaillait.

— Les chiens ont un excellent odorat, dit la pompière. En fait, leur odorat est environ dix mille fois plus développé que le nôtre! Un chien peut donc sentir l'odeur d'une personne même si celle-ci est cachée ou perdue. Quand je demande à Elfie de trouver quelqu'un, elle commence par renifler en l'air pour essayer de repérer sa trace. Puis elle se met à courir en suivant l'odeur de cette personne. Quand elle l'a trouvée, elle revient vers moi en courant et aboie, et elle me conduit au bon endroit.

Nathalie se tourna vers Rosalie.

— Je vais jouer un peu avec Elfie. Pendant ce temps-là, tu iras te cacher derrière cet arbre près des barres à escalade, d'accord? Ensuite Elfie jouera à la cachette, son jeu *préféré*. C'est toujours elle qui cherche! Je lui demanderai de te trouver. Tout ce que tu as à faire, c'est de rester immobile jusqu'à ce qu'elle me conduise vers toi.

— Compris, dit Rosalie.

Pendant que Nathalie occupait Elfie, Rosalie courut jusqu'à l'arbre et se cacha derrière. Au bout d'un moment, elle entendit Nathalie qui disait « trouve Rosalie! »

À peine deux secondes plus tard, Rosalie sentit Elfie qui poussait son museau dans sa main. Rosalie ne put s'empêcher de glousser de rire.

– Bon chien, murmura-t-elle au berger allemand.

Elfie repartit à toute vitesse vers sa maîtresse. Tout excitée, la chienne aboya devant Nathalie pour lui dire qu'elle avait trouvé la personne disparue. Une minute plus tard, Nathalie et Elfie avaient toutes deux rejoint Rosalie.

Nathalie récompensa sa chienne avec un biscuit et beaucoup de caresses, pendant que les enfants et les enseignants applaudissaient.

– Bien sûr, le travail d'Elfie est généralement bien plus compliqué. Le mois dernier, cela nous a pris sept heures pour retrouver un petit garçon qui s'était perdu dans la forêt.

Ensuite, Nathalie montra quelques-unes des méthodes d'entraînement qu'elle avait utilisées avec Elfie. L'une d'elles était un jeu appelé la « course-poursuite ». Elle demanda à Charles de caresser la chienne puis de partir en courant vers les balançoires. Elfie le suivit de près, sans jamais le perdre de vue.

Quand elle rattrapa Charles, le garçon lui donna un biscuit.

— C'est comme ça que j'ai appris à Elfie que c'était bien de suivre les gens, expliqua Nathalie. On a commencé avec une vraie personne, et ensuite, elle a appris à suivre seulement l'*odeur* de la personne, comme avec Rosalie tout à l'heure.

Nathalie sourit aux deux enfants.

— Merci pour votre aide, dit-elle.

Avant de repartir vers sa classe, Rosalie caressa Elfie une dernière fois.

— Je viens d'avoir une idée géniale, murmura la fillette à l'oreille de Maria quand elle reprit sa place près de son amie.

Mais avant que Rosalie puisse en dire plus, Nathalie se tourna vers Pierre-André Michel.

— À ton tour, dit la jeune femme.

— OK, dit le policier. Bonjour tout le monde!

Il regarda Thor assis à ses côtés, tous ses sens en alerte.

— Thor, dis bonjour à nos amis?

Thor souleva sa patte droite et l'agita. Tout le monde applaudit.

— Je voudrais ajouter quelque chose à ce qu'a dit

Nathalie à propos des règles de sécurité quand vous rencontrez un chien que vous ne connaissez pas, dit M. Michel. Certains chiens n'aiment pas qu'on les regarde droit dans les yeux. Ils pensent que vous les provoquez, que vous voulez vous battre, car c'est comme ça que les chiens se défient entre eux.

Il demanda à Nathalie de faire une démonstration en regardant Thor bien en face.

Thor commença à grogner et à aboyer! Rosalie comprit soudain pourquoi certaines personnes avaient peur des bergers allemands ou des autres grands chiens. Heureusement, le policier tenait la laisse bien fermement. Dès que Nathalie recula et regarda dans une autre direction, Thor cessa d'aboyer.

– Thor est mon équipier, expliqua M. Michel. Il me tient compagnie, m'aide à prévenir les délits, et à résoudre des affaires exactement comme le ferait un équipier humain. Et il me protège si je suis en danger.

Rosalie préférait ne pas imaginer comment réagirait Thor si quelqu'un essayait de blesser son maître! Aïe, aïe, aïe!

Pierre-André Michel raconta comment, un jour,

Thor avait rattrapé un homme qui venait de cambrioler un magasin. Puis il parla des patrouilles que lui et Thor faisaient en voiture. Il expliqua comment se déroulait une journée typique.

— Il est mon meilleur ami, conclut l'officier qui se pencha pour caresser son chien. Et Thor a aussi quelques très bons amis ici, dans notre communauté. N'est-ce pas Thor? Une classe de l'école secondaire a choisi de le commanditer. Ils le gâtent en lui donnant plein de friandises et de jouets.

En entendant cela, les yeux de Rosalie se mirent à briller. Maria sourit. Rosalie savait que sa meilleure amie devinait déjà à quoi elle était en train de penser. Rosalie venait d'avoir *une autre* de ses idées géniales!

CHAPITRE SIX

– Allez Margot! Allez Biscuit! Poursuivez-moi!

Rosalie courut à l'autre bout de la cour en regardant par-dessus son épaule pour voir si les chiots la suivaient. Bien sûr, Margot galopait joyeusement derrière elle juste sur ses talons! Biscuit trottinait un peu plus loin, s'arrêtant de temps à autre pour renifler ou ramasser un bâton dans sa gueule.

Dès la fin des cours, Maria et Rosalie s'étaient précipitées chez Rosalie. Elles avaient hâte de voir si, oui ou non, Margot avait les qualités nécessaires pour devenir un chien de recherche et de sauvetage. C'était ça la première idée géniale de Rosalie. Maintenant qu'elles savaient comment Nathalie avait entraîné Elfie, elles pouvaient essayer de faire la même chose.

Maria et Rosalie avaient décidé de commencer par

la course-poursuite, le jeu pour chiots dont avait parlé Nathalie. La jeune pompière avait expliqué qu'un chien de sauvetage aimait beaucoup suivre et trouver les gens. « Ils trouvent ça très amusant », avait-elle dit.

C'était sans l'ombre d'un doute ce que pensait Margot. Elle galopa derrière Rosalie. Elle suivit Maria quand Maria se mit à courir dans la direction opposée. Et quand Sammy, Charles et le Haricot les rejoignirent dans la cour, elle les suivit également. Elle suivait tous ceux qui couraient, d'un bout à l'autre de la cour, sur la véranda, sur la pelouse, au coin de la maison, de nouveau sur la véranda et à l'autre extrémité de la cour.

Margot trouvait que c'était un jeu extraordinaire! C'était tellement drôle de suivre les gens. Personne ne pouvait lui échapper! Margot aimait la façon dont les enfants riaient, la caressaient et l'embrassaient quand elle courait après eux.

Biscuit aussi aimait ce jeu, mais pas autant que Margot. Il avait l'air d'être tout aussi heureux quand il poursuivait sa propre queue.

Après avoir couru un bon quart d'heure, Rosalie s'effondra sur la véranda pour reprendre son souffle. Les autres la rejoignirent. Margot s'installa sur ses genoux et Biscuit se roula en boule près de Charles.

– Bon, eh bien, je pense que Margot a vraiment des aptitudes, déclara Rosalie.

Elle caressa les douces oreilles tombantes du chiot et l'embrassa sur le haut de la tête.

– Des apt-*quoi*? demanda Charles.

– Aptitudes, répéta Rosalie. Ça veut dire qu'elle a un talent naturel pour devenir un chien de sauvetage.

– Et Biscuit? demanda Charles qui prit la patte du chiot et l'agita en l'air. Moi aussi, je veux être un chien de sauvetage, dit le garçon avec une petite voix aiguë censée être celle de Biscuit.

Rosalie se pencha pour caresser le chiot roux.

– Un jour peut-être, dit-elle. Mais je pense que c'est mieux si tu restes notre petit Biscuit à nous.

– Moi, je trouve que les chiens policiers sont plus intéressants, dit Sammy. J'ai trouvé Thor vraiment génial. Vous avez vu ses dents? Les méchants doivent passer un mauvais quart d'heure avec lui!

Rosalie haussa les épaules.

— Je pense que le travail d'Elfie est plus intéressant, répondit-elle. Thor passe toutes ses journées dans une voiture alors qu'Elfie parcourt le monde entier pour secourir des personnes en danger.

— C'est vrai, approuva Maria. C'est une héroïne.

— Et c'est pour ça que je voudrais qu'elle soit commanditée par notre classe! Ce serait notre *mascotte*, ajouta Rosalie. Ça, c'est ma *deuxième* idée géniale.

— Tu veux dire comme Thor qui est commandité par une classe de secondaire? demanda Maria.

— Exactement, dit Rosalie. Et quand Margot sera adulte et chien de sauvetage, peut-être que notre classe pourrait la commanditer, elle aussi!

Elle posa Margot par terre et se leva d'un bond.

— J'ai déjà tout organisé, dit la fillette en arpentant la véranda.

La petite chienne la suivait à pas de loup.

— Nous pourrions écrire des courriels à Elfie, ça ferait un super projet de rédaction. Mme Allard va beaucoup aimer ça. Et au lieu de lui acheter des friandises et des jouets comme la classe qui commandite Thor, nous recueillerons de l'argent pour lui acheter des choses dont elle a vraiment *besoin*, comme, je ne sais pas moi, des bottines pour ses pieds. Et nous demanderons à Nathalie et à Elfie des conseils pour entraîner Margot.

Nathalie s'arrêta pour reprendre son souffle.

– Peut-être qu'on pourrait organiser une vente de pâtisseries à l'école, proposa Maria qui avait compris l'idée de son amie. C'est une bonne manière de recueillir de l'argent.

Maria et Rosalie jouèrent avec les chiots et parlèrent de leur projet pendant toute la fin de semaine. Et le lundi matin, lors de la réunion de classe, elles n'eurent aucune difficulté à convaincre les autres élèves de commanditer Elfie. Rosalie avait demandé l'adresse courriel de Nathalie à son père et, avec l'aide de Maria, elle écrivit la lettre pendant la recréation. Le courriel serait envoyé à Nathalie, mais c'était plus amusant de faire comme s'il était adressé à Elfie.

De : La classe de Mme Allard
À : Elfie
Objet : Te commanditer!

Chère Elfie,

Merci d'être venue dans notre école la semaine dernière. Nous t'avons trouvée extraordinaire! Nous aimerions que tu sois la mascotte de notre classe et que tu nous aides à entraîner Margot. Pourrais-tu nous envoyer une photo de toi? Dis-nous aussi si tu as besoin de quelque chose, et nous collecterons des fonds pour te l'acheter.

Tes amis,
La classe de Mme Allard

Elfie leur répondit le jour même!

De : Elfie
À : La classe de Mme Allard
Objet : Ouah!

Chère classe,
Je serais très honorée d'être la mascotte de votre classe et très heureuse de vous aider à entraîner Margot. Ci-joint une photo de moi avec ma veste. J'espère qu'elle vous plaira! Si vous voulez vraiment m'acheter quelque chose, vous pouvez m'acheter une

veste de flottaison pour les sauvetages en mer. Beaucoup de mes amis RES (recherche et sauvetage) en ont et elles sont vraiment super. Merci mille fois!

Plein de bisous et de gros ouafs de votre mascotte,

Elfie

CHAPITRE SEPT

Le lendemain, pendant la récréation, Maria et Rosalie fabriquèrent les affiches pour la vente de pâtisseries. À l'heure du dîner, elles les collèrent dans toute l'école et, à la fin de la journée, chaque élève savait que la classe de Mme Allard avait une nouvelle mascotte.

Rosalie accrochait une affiche près de l'infirmerie quand la classe de Daphné, qui se rendait à la bibliothèque, passa à côté d'elle.

– Copieuses, dit Daphné. C'est mon oncle qui vous a donné cette idée.

Rosalie se contenta de hausser les épaules.

– Daphné pense que nous copions son oncle, dit Rosalie à Maria un peu plus tard.

Les deux amies étaient dans la cuisine chez Rosalie et s'apprêtaient à faire des biscuits aux brisures de chocolat pour la vente de pâtisseries. Rosalie fouilla dans un placard. Elle prit un paquet de farine et une boîte de sucre. L'année dernière, Mme Fortin avait montré à Charles et Rosalie sa recette secrète de biscuits au chocolat et Rosalie avait la permission de les faire toute seule. Charles pouvait mélanger la pâte, mais il était encore trop jeune pour allumer le four si leur mère n'était pas là.

– Mais, franchement, qui s'intéresse à ce que raconte Daphné? demanda la fillette.

– Sûrement pas moi. Margot! dit Maria en riant et en retirant Margot du placard où étaient rangées les plaques à biscuit. Cette petite chienne est tellement curieuse. Elle veut tout savoir sur *tout*.

Margot gigota dans les bras de Maria. Elle était curieuse. Bien sûr qu'elle l'était! Le monde était grand et elle était juste un petit chiot. Mais ce n'est pas ça qui allait l'empêcher d'explorer.

Pendant ce temps-là, Biscuit courait après un morceau de papier tout chiffonné. Il lui donnait un coup de patte et courait en trébuchant. Il finit par attraper le papier dans sa gueule et le secoua si fort qu'il en perdit l'équilibre. Il roula sur le dos et mâchouilla son trophée jusqu'à ce que Rosalie le lui enlève et le jette dans la poubelle.

– Biscuit, on ne mange pas les papiers, dit Rosalie, patiemment.

Depuis quelques jours, Biscuit avait l'air de vouloir goûter tout ce qui lui tombait sous les pattes. Peut-être que c'était parce qu'il avait perdu ses dents de chiot et que ses dents d'adulte étaient en train de pousser.

Biscuit regarda Rosalie. Il savait qu'elle n'était pas vraiment fâchée contre lui, mais il savait aussi qu'elle ne lui rendrait pas le papier. En gigotant, il se remit sur ses pieds et courut trouver autre chose à mâchouiller.

– OK, je pense que nous avons tous les ingrédients. Vérifions avec la recette, dit Rosalie.

Les deux amies regardèrent tout ce qu'elles avaient étalé sur la table : la farine, le sucre, les œufs, le beurre, l'extrait de vanille, les brisures de chocolat, les plaques à biscuits, un bol à mélanger, des tasses et des cuillères à mesurer.

– Où est la recette? demanda Maria.

Rosalie chercha du regard la feuille de papier que sa mère lui avait laissée. Elle ne la voyait nulle part. Puis elle se rappela le morceau de papier avec lequel jouait Biscuit.

– Biscuit! s'exclama la jeune fille. Est-ce que c'était la recette?

L'air coupable, Biscuit leva les yeux vers sa maîtresse. Il agita mollement la queue, s'assit sur son petit derrière et leva une patte.

Rosalie avait l'air furieuse. Avait-il fait quelque chose de mal?

Rosalie repartit vers la poubelle et en retira le morceau de papier mâchouillé et chiffonné. Elle le lissa bien à plat. Oui, c'était bien la recette.

– Petit monstre, dit Rosalie en regardant Biscuit et en agitant son index.

Mais elle riait. Faire des biscuits était amusant. Faire des biscuits avec deux chiots dans la cuisine était deux fois plus amusant.

Ouf! Biscuit savait que tout était en ordre maintenant. Rosalie riait de nouveau.

Rosalie parcourut la recette.

– Je pense que la seule chose que nous avons oubliée, c'est le bicarbonate de soude, dit-elle.

Elle se dirigea vers le placard. Margot bondit pour la suivre.

– Poudre à pâte, non ce n'est pas ça, marmonna-t-elle en vérifiant les étiquettes. Ah voilà!

Elle prit une petite boîte jaune.

Pendant ce temps, Maria avait vérifié la recette.

– A-t-on encore un peu de beurre pour graisser les plaques à biscuits? demanda-t-elle.

Biscuit était très occupé avec quelque chose sous la table, mais il releva soudain la tête. Quelqu'un l'avait appelé, non?

– Oui, Biscuit, j'ai bien dit biscuit, mais ce n'est pas de toi que je parle, dit Maria en riant.

Biscuit se concentra de nouveau sur son jeu inconnu. Rosalie sortit le beurre du réfrigérateur, et les filles commencèrent à mesurer les ingrédients.

– OK, il nous reste juste à ajouter les brisures de chocolat, dit Rosalie.

Elle secoua le bras. Mélanger le beurre dur était difficile.

– Où sont-elles?

Rosalie regarda sur le comptoir qui était maintenant dans un beau désordre. Il y avait pêle-mêle des tasses à mesurer sales, des petits morceaux de beurre, du sucre et de la farine.

Maria les chercha aussi du regard.

– Je ne les vois pas, dit-elle.

Juste à ce moment-là, Margot aboya. La petite chienne courut sous la table et arracha quelque chose à Biscuit. C'était le sachet de brisures de chocolat!

– Oh non! s'exclama Rosalie. Le chocolat peut rendre les chiens vraiment, vraiment malades!

Elle se pencha et prit doucement le sachet dans la gueule de Margot.

– Ouf, dit Rosalie soulagée après avoir bien examiné le paquet. Il ne l'avait pas encore ouvert. Il a juste un peu bavé dessus.

Maria fit un gros câlin à Margot.

– Tu es déjà un vrai chien de sauvetage! Tu as trouvé le paquet de brisures et empêché Biscuit de les manger.

Margot savait qu'elle avait fait quelque chose de très, très bien. Elle lécha Maria partout sur le visage, surtout là où il y avait de la pâte à biscuits.

Une fois les biscuits terminés, Maria et Rosalie montèrent au second étage. Pendant que Rosalie regardait si elle avait des courriels, Maria s'installa sur le lit. Les deux chiots grimpèrent sur ses genoux. Margot se mit à mordiller l'oreille de Biscuit pendant que ce dernier essayait de manger les passants de la ceinture du jeans de la fillette.

— J'ai hâte de donner à Elfie sa veste de flottaison, dit Maria.

— Tu devras pourtant patienter, répondit Rosalie soudain sérieuse. Regarde le courriel que Nathalie a envoyé à notre classe.

De : Elfie
À : La classe de Mme Allard
Objet : En mission

Chère classe,

Je voulais juste vous dire que Nathalie et moi

sommes parties pour le Mexique. Il y a eu un gros tremblement de terre là-bas, et nous allons aider à retrouver des personnes blessées ou disparues. Je suis très contente de partir en mission. Je vous tiendrai au courant de toutes nos aventures. N'oubliez pas l'entraînement de Margot!

Plein de bisous et de ouafs,

Elfie

CHAPITRE HUIT

– Je vais prendre trois carrés au chocolat et un de ces biscottis, dit M. Scheffer.

Avec un grand sourire, Rosalie lui tendit les biscuits.

– Merci! dit-elle en prenant les deux dollars que lui donnait le directeur. Elfie vous remercie pour votre soutien!

M. Scheffer s'éloigna et Rosalie regarda la table qui, ce matin, était couverte de gâteaux et de biscuits. Elle était déjà à moitié vide.

– Super, on en a déjà vendu plein et il n'est même pas midi! dit Rosalie à Maria.

C'était au tour des deux amies de tenir le kiosque de vente de pâtisseries.

– Je sais, dit Maria. Je pense que c'est grâce aux photos.

Elle se tourna vers les photos accrochées au mur

derrière elles. L'une d'elles était un agrandissement de la photo que Nathalie leur avait envoyée. Elfie avait l'air d'une héroïne, au garde-à-vous dans sa veste orange. Il y avait aussi quelques photos plus petites de Margot, que les filles avaient prises pendant les exercices de course-poursuite.

À côté des photos, il y avait les courriels d'Elfie. Maria avait également dessiné une carte du Mexique ainsi qu'une étoile pour indiquer l'endroit du tremblement de terre. Au-dessus de tout ça, il y avait une grande banderole qui disait :

AIDEZ LA CLASSE DE MME ALLARD à PARRAINER ELFIE!

Rosalie jeta un œil à la carte et sentit sa gorge se serrer. Nathalie et Elfie étaient tellement loin! Et leur travail là-bas pouvait être dangereux. Des immeubles entiers s'étaient effondrés pendant le tremblement de terre. Elfie aidait à retrouver les gens qui étaient restés prisonniers à l'intérieur.

Rosalie n'avait reçu qu'un seul courriel, très court, le premier jour, qui disait qu'Elfie et Nathalie étaient bien arrivées et qu'elles ne pourraient sans doute pas écrire avant un moment. Rosalie savait qu'elle s'inquiéterait tant qu'Elfie et sa maîtresse ne seraient pas rentrées saines et sauves chez elles. Et dire qu'un jour Margot ferait peut-être le même travail!

Rosalie prit un biscuit aux brisures de chocolat et mit une pièce de vingt-cinq cents dans la boîte.

– On partage? demanda-t-elle à son amie en lui en offrant un morceau.

Maria prit une bouchée.

– Ces biscuits sont vraiment très bons, dit-elle. Peut-être qu'avoir deux chiots comme aides-cuisiniers, ça aide finalement.

Rosalie éclata de rire.

– Sûrement. Heureusement que nous avons vu Biscuit en train de lécher les plaques à biscuits. Il a fallu les relaver et les graisser de nouveau. Ce chiot veut prendre part à tout!

– Cathy est impatiente de rencontrer Biscuit et Margot, ajouta Maria.

Cathy était l'instructrice d'équitation de Maria. Avec son mari, elle avait une écurie près de Saint-Jean, et ils avaient tous les deux adoptés Rascal, un petit Jack Russel terrier que les Fortin avaient accueilli.

Cathy avait proposé à Charles et Rosalie de venir cet après-midi-là avec les deux chiots pour qu'ils jouent avec Rascal pendant que Maria prendrait sa leçon. Cathy et son mari avaient clôturé un grand terrain pour Rascal, et les chiots pourraient donc courir en toute sécurité! Cathy appelait ce terrain le parc de jeux de Rascal.

Une fois la foule de l'heure du dîner passée, Maria et Rosalie se retrouvèrent avec une table presque vide. Elles comptèrent l'argent qu'elles avaient gagné.

– Trente-trois dollars, annonça Rosalie.

– Plus quinze dollars soixante-seize cents, dit Maria après avoir compté les pièces qu'elle avait empilées. Je me demande qui nous a donné ce sou en plus.

– Chaque sou peut servir! dit Rosalie.

La fillette additionna les deux montants.

– Quarante-huit dollars soixante-seize cents! annonça-t-elle. Presque cinquante dollars! On va pouvoir acheter la veste de flottaison d'Elfie, et peut-être même une petite veste orange pour Margot. Comme ça, elle aura l'impression d'être un vrai chien de sauvetage.

– Mon père pourra sûrement nous conduire à l'animalerie cet après-midi. Nathalie et Elfie vont être absentes encore plusieurs jours, mais ce serait formidable d'avoir leurs cadeaux prêts pour quand elles rentreront.

Après l'école, le père de Maria vint chercher sa fille, Rosalie, Charles, Margot et Biscuit pour les conduire au centre équestre.

— Oh, quelle adorable petite créature! dit Cathy en les voyant tous débarquer de la voiture.

Elle s'agenouilla pour dire bonjour à Margot. Biscuit accourut aussitôt, sauta dans les bras de la jeune femme et commença à lui lécher le visage. Cathy éclata de rire.

— Oui, oui, bonjour à toi aussi, dit-elle à Biscuit.

— Où est Rascal? demanda Rosalie.

— Il est à l'intérieur, répondit Cathy. J'ai pensé que *trois* chiots, ça ferait un peu trop.

Elle était en train de caresser Margot.

— Quel trésor, dit-elle. Lui avez-vous déjà trouvé un foyer?

Charles secoua la tête.

— Pas pour l'instant, répondit le garçon.

Avec Rosalie, ils avaient fait des affiches qu'ils avaient collées un peu partout en ville, mais jusqu'ici, ils n'avaient reçu qu'un seul coup de fil, de quelqu'un qui voulait un chien plus âgé que Margot. Mais Charles et Rosalie n'avaient pas été trop déçus. Ils voulaient que Margot trouve un très bon maître qui continue son programme d'entraînement de chien de sauvetage. Nathalie avait promis de les aider dès son retour du Mexique. En attendant, Biscuit avait un super copain avec qui jouer.

– Bon, dit Cathy, qui se releva et épousseta ses genoux. Je pourrais jouer pendant des heures avec ces deux-là, mais Maria a un cours. Je vais vous montrer le parc de jeux de Rascal. Quand nous aurons fini notre leçon, nous vous rejoindrons là-bas pour jouer encore un peu. Peut-être que j'amènerai aussi Rascal.

Elle les guida jusqu'à un terrain clôturé derrière la grange.

Rosalie eut du mal à en croire ses yeux. C'était tellement grand! On aurait dit un vrai parc, avec des arbres, des buissons et même un petit ruisseau pour se baigner.

– C'est fantastique! s'écria la jeune fille. Un nouveau terrain de jeux bien sécuritaire pour vous deux.

Rosalie se pencha et détacha les laisses des deux chiots.

Immédiatement, Biscuit partit en trombe, poursuivi par Margot. Les deux chiots couraient dans tous les sens en s'arrêtant de temps en temps pour renifler toutes ces nouvelles odeurs terriblement excitantes.

Hé! viens voir ça! Oui, par ici! Biscuit a trouvé une flaque de boue pour se rouler dedans.

— Oh, Biscuit! dit Rosalie. Tu es tout sale.

Margot était très occupée à suivre une piste. Un autre chien utilisait cet endroit. Margot suivit son odeur de buisson en buisson.

— Margot! cria Charles. Ne t'éloigne pas trop!

— Faisons un jeu avec eux, suggéra Rosalie. Si on jouait à la course-poursuite? C'est un très bon exercice pour Margot.

— Non, essayons plutôt la cachette, répondit son frère. Tu sais comme Nathalie pendant sa démonstration. Je vais aller me cacher derrière cet arbre, et vous enverrez Biscuit et Margot me chercher.

Une fois Charles disparu, Rosalie appela les chiots. Margot arriva en courant, mais Biscuit continua à renifler tout autour de lui.

— Ce n'est pas grave, dit la jeune fille. De toute façon, c'est Margot qui a besoin de s'entraîner. Il faut trouver Charles, Margot! Cherche-le!

La petite chienne regarda Rosalie. Elle voulait quelque chose. Mais quoi?

— D'accord, je vais te montrer, dit Rosalie. On va le chercher ensemble.

Elle courut vers l'arbre pour que Margot soit plus proche de Charles.

— Trouve Charles! répéta-t-elle en espérant que Margot allait comprendre ce qu'elle voulait dire.

Margot renifla. Elle sentit la merveilleuse odeur d'une personne qu'elle aimait. Charles. Elle fit le tour de l'arbre en bondissant. Il était là! Toute heureuse, elle sauta et aboya. C'était super de retrouver son petit maître! Et en plus, il lui donnait une friandise. Miam!

— Je pense qu'elle a compris, dit Rosalie. Pas de doute, elle apprend vite. Essayons encore une fois. Je vais jouer avec elle pendant que tu vas te cacher.

Rosalie chercha Biscuit du regard. Elle le repéra à côté de plusieurs gros rochers. Il avait l'air heureux d'explorer le terrain tout seul. Il ne semblait pas s'intéresser au jeu de la cachette, mais ce n'était pas grave.

De nouveau, Charles partit en courant se cacher derrière un buisson. Une minute après, Rosalie demanda à Margot « Trouve Charles! » Margot démarra comme une fusée et fila directement vers le buisson.

C'était tellement amusant de jouer à la cachette avec Margot! Charles se cacha encore une fois, puis ce fut au tour de Rosalie de se cacher deux fois. Margot s'améliorait et les trouvait de plus en plus vite. C'était difficile de la tromper. Même quand ils étaient très bien cachés, elle sentait leur odeur. Son odorat était incroyable.

Finalement, le frère et la sœur furent à court de friandises pour chiens et ils s'effondrèrent dans l'herbe pour faire une petite pause. Margot posa sa tête sur le genou de Charles et étendit sa patte sur la jambe de Rosalie. Rosalie gratta les oreilles de la petite Margot.

– Beau travail, Margot, dit-elle. Peut-être que tu pourrais apprendre à Biscuit comment faire.

– Ou est Biscuit? demanda Charles. Biscuit!

Rosalie s'attendait à voir arriver Biscuit au triple galop. Mais non. Elle l'appela aussi.

– Biscuit! Où es-tu?

– Peut-être qu'il pense que nous sommes en train de jouer à cache-cache, dit Charles.

Rosalie appela encore Biscuit. Le chiot était forcément là, quelque part. Après tout, le terrain était clôturé. Mais brusquement, elle commença à avoir peur. Comment avait-elle pu le laisser s'éloigner? Elle avait été tellement prise par le jeu de la cachette avec Margot qu'elle avait oublié, juste pour quelques minutes, le petit chiot le plus important du monde : son chiot à *elle*, Biscuit.

CHAPITRE NEUF

— Biscuit! cria Rosalie.

— Biscuit! Viens ici! cria Charles.

Rosalie essaya de siffler avec les deux doigts dans la bouche, mais comme d'habitude, ça ne marcha pas. À la place, elle frappa dans ses mains.

— Biscuit! cria de nouveau la jeune fille.

Pas de réponse.

— Nous ferions mieux de commencer à le chercher, dit Rosalie. Peut-être qu'il y a un trou dans la clôture.

Elle se dirigea vers l'endroit où elle avait vu Biscuit la dernière fois, près des rochers. Margot et Charles la suivirent.

Biscuit n'était pas à côté des rochers.

Il n'était pas derrière un arbre.

Il n'était pas prisonnier dans un buisson.

Il n'était nulle part!

Rosalie se tourna vers son frère.

– Peut-être qu'il vaut mieux que tu ailles prévenir Cathy. Je vais continuer à chercher.

Charles hocha la tête, l'air sérieux.

– On va le trouver, n'est-ce pas? demanda-t-il.

Rosalie le prit dans ses bras. Elle comprenait son inquiétude. Biscuit était le chiot qu'ils avaient attendu pendant de longues, longues années. Tous deux l'aimaient énormément

– Ça va bien aller, dit-elle. Il doit être occupé par quelque chose qui lui semble bien plus intéressant que nous pour l'instant. Il renifle sans doute tellement fort qu'il ne nous entend même pas.

Charles hocha la tête, puis sortit chercher Cathy.

Rosalie regarda autour d'elle. Comment Biscuit avait-il pu disparaître aussi rapidement? Il était encore là il y a quelques minutes à peine. Elle décida de marcher le long de la clôture et de l'appeler.

– Allez viens, Margot, dit-elle. Il faut trouver Biscuit.

En entendant ce mot, les oreilles de la chienne se dressèrent. Elle savait ce que signifiait « trouver »! C'était le jeu le plus amusant du monde. Mais pourquoi

Rosalie n'avait-elle pas l'air gaie comme d'habitude?
Margot jeta un coup d'œil inquiet à Rosalie. Puis elle
leva le nez en l'air et commença à renifler pour trouver
son ami Biscuit.

— Biscuit! Biscuit! appela Rosalie tout en marchant le long de la clôture. Pour l'instant, elle n'avait vu aucun trou par lequel aurait pu passer un petit chiot. De temps en temps, elle regardait vers l'intérieur du parc dans l'espoir d'apercevoir le mouvement d'une queue ou l'éclair du cœur blanc sur la poitrine de Biscuit. Mais elle ne vit aucun signe du chiot.

Margot trottinait devant Rosalie, reniflant tout sur son passage. Elle agitait la queue et Rosalie n'avait jamais vu ses petites oreilles autant redressées.

— Tu es une bonne chienne, lui dit la fillette. Je sais que tu vas nous aider à retrouver Biscuit.

Toujours ce mot. Margot renifla encore plus fort.

Soudain, Rosalie sentit son cœur se serrer. Après un virage, elle avait aperçu un grand arbre près du ruisseau, qui était tombé sur la clôture. Margot courut à l'endroit où la clôture était brisée en reniflant frénétiquement.

– Oh, non! s'exclama Rosalie.

Elle comprit tout de suite que Biscuit avait dû s'échapper par là. Maintenant le chiot pouvait être n'importe où! Il fallait le trouver rapidement avant qu'il ait des ennuis.

Rosalie regarda derrière elle pour voir si Cathy et les autres arrivaient. Mais il n'y avait personne. Elle savait ce qu'il lui restait à faire.

– Viens ici, Margot, dit-elle.

Elle remit la laisse à Margot pour que celle-ci ne puisse pas s'enfuir à son tour. Puis elle donna l'ordre :

– Allez, va! Trouve-le! Trouve Biscuit!

Margot et Rosalie escaladèrent l'arbre et la clôture brisée. Elles marchèrent dans le petit ruisseau qui continuait de l'autre côté.

– Regarde! s'écria Rosalie en montrant des empreintes de pattes dans la boue. Biscuit doit être passé par là!

Margot eut l'air de comprendre. Elle tira sur sa laisse, entraînant Rosalie le long du ruisseau. Elles suivirent longtemps les empreintes et le ruisseau qui serpentait dans les prés.

Bientôt, Rosalie entendit des voitures. Les battements de son cœur s'accélérèrent. Il devait y avoir une route à proximité!

– Biscuit! appela-t-elle.

Elle avait la gorge tellement sèche qu'elle n'arrivait pas à crier. Elle se passa la langue sur les lèvres.

– Biscuit! appela-t-elle de nouveau.

Puis, tout d'un coup, Margot commença à tirer encore plus fort sur la laisse. Elle entraîna Rosalie jusqu'au bord d'une route où les voitures roulaient à toute vitesse.

– Oh, non, se dit Rosalie.

Si Biscuit a essayé de traverser la route… elle n'osait pas imaginer ce qui avait pu se passer.

Mais au dernier moment, Margot n'alla pas jusque sur la route. Elle se dirigea droit vers un gros tuyau qui passait *sous* la route. Elle mit sa tête à l'intérieur et aboya.

Et Biscuit lui répondit.

De : Rosalie
À : Elfie
Objet : Margot est une héroïne!

Chère Elfie,

Tu serais tellement fière de la petite Margot. Aujourd'hui, elle a retrouvé Biscuit qui était coincé dans une canalisation, tu sais ces gros tuyaux par lesquels passe l'eau. Ensuite, elle est allée le chercher, car le tuyau était trop petit pour nous. On était si heureux de le voir! Biscuit aussi était heureux. Il a léché toutes les personnes qui étaient là. Puis, il nous a encore léchés une fois. Peut-être qu'il se tiendra tranquille pour un petit moment maintenant.

J'espère que tout se passe bien pour toi au Mexique. Notre classe a hâte de te revoir. Quand seras-tu de retour?

Mille bisous,

Rosalie

De : Elfie
À : Rosalie
Objet : Mon retour

Chère Rosalie,
Cette Margot est décidément un super chien! On

dirait que votre entraînement a été très efficace! Merci de m'avoir donné des nouvelles et de m'avoir raconté les aventures de Biscuit.

Finalement, je vais vous revoir en chair et en os plus tôt que prévu. Moi aussi, j'ai eu une petite aventure ici au Mexique, et Nathalie va bientôt me ramener à la maison. Nous parlerons de tout ça quand nous serons à Saint-Jean.

Plein de bisous et de ouafs,

Elfie

CHAPITRE DIX

Elfie avait également écrit à la classe de Mme Allard et le lendemain, Mme Allard demanda toute la journée à ses élèves de se calmer. Tout le monde voulait savoir quand Elfie rentrerait du Mexique. De plus, Rosalie avait raconté comment Margot avait retrouvé et sauvé Biscuit. La classe était très fière de la petite Margot. Les élèves avaient hâte que Margot devienne un vrai chien de sauvetage pour pouvoir la commanditer.

Mais Rosalie savait que ce dont Margot avait surtout besoin pour l'instant, c'était d'une famille. C'était un chiot tellement exceptionnel! Il lui fallait une famille qui apprécie son intelligence et ses capacités à leur juste valeur. Rosalie espérait que Nathalie l'aiderait à trouver un bon foyer pour Margot, peut-être chez un de ses amis sauveteurs.

Cet après-midi-là, Charles et Rosalie revenaient de l'école quand leur père se gara tout près d'eux.

– Montez! dit-il. Nathalie nous a appelés de l'aéroport. Elle vient juste d'arriver avec Elfie. Nous allons les chercher.

– C'est vrai?

Rosalie n'en revenait pas. Elle grimpa dans la camionnette, suivie par son frère. Rosalie regarda le paysage défiler par la fenêtre, pensant à la dernière fois qu'elle avait fait ce trajet. C'était quand elle était allée chercher Margot avec Nathalie. Ça ne faisait pas si longtemps, mais la jeune fille avait l'impression qu'elle connaissait Margot depuis toujours.

Cela n'allait pas être facile de dire au revoir à la petite chienne quand l'heure serait venue pour elle de partir dans son nouveau foyer. C'était le moment le plus triste quand on était famille d'accueil. Charles et Rosalie étaient toujours malheureux de voir partir leurs petits protégés. Mais chaque chiot était tellement spécial! Rosalie se trouvait chanceuse d'avoir pu passer un peu de temps avec chacun d'entre eux.

M. Fortin se gara rapidement dans le parc de stationnement de l'aéroport. Tous les trois se dirigèrent vers le petit aérogare. Rosalie regarda autour d'elle. Il y avait plein de gens partout en train de marcher, d'attendre leurs bagages ou de faire la queue pour les billets. Mais où était Nathalie? Et Elfie?

Puis elle vit une femme qui se penchait sur une grande cage de transport pour chien et ouvrait la porte. Une tête noire et brune apparut. Un nez pointu, des oreilles bien droites. C'était Elfie! Rosalie se mit à courir.

Nathalie se redressa et se tourna vers Rosalie pour la serrer dans ses bras. Son visage avait une expression grave.

– Rosalie… commença-t-elle.

Mais la jeune fille s'était déjà agenouillée pour dire bonjour à Elfie. Pourquoi ne sortait-elle pas de sa cage? Rosalie caressa la tête de la chienne et la gratta entre les deux oreilles, comme elle aimait.

– Hé! ma belle fille, dit-elle.

Puis elle aperçut les bandages. Elfie avait l'épaule enveloppée dans de la gaze.

Entre-temps, Charles et M. Fortin les avaient rejointes.

– Qu'y a-t-il? demanda M. Fortin à sa fille.

Il voyait qu'elle était bouleversée.

– Elfie est blessée, répondit Rosalie.

Elle regarda Nathalie.

– Que s'est-il passé?

– Tu te souviens du jour où Elfie s'était mise à boiter dans ta cour? demanda la jeune femme. Et bien, elle est tombée en grimpant dans un grenier pour sauver une petite fille et cette vieille blessure s'est aggravée. Il a fallu l'opérer.

M. Fortin passa son bras autour des épaules de Nathalie.

– Je suis désolé, dit-il.

Nathalie hocha la tête.

– Moi aussi. Mais elle ne souffre plus. Le vétérinaire a dit qu'elle guérirait rapidement et serait très bientôt capable de marcher.

– Tant mieux, dit Rosalie.

Elle et Charles étaient agenouillés devant la cage et caressaient la tête de la chienne.

– Et quand pourra-t-elle reprendre le travail?

Nathalie ne répondit pas.

Rosalie leva la tête et vit les yeux de la pompière se remplir de larmes. Nathalie secoua la tête.

– Jamais, répondit-elle. Elfie va devoir prendre sa

retraite. Je perds ma partenaire.

– Oh non!

Rosalie ne savait pas quoi dire. C'était de terribles nouvelles! Elfie était excellente au travail.

– Mais elle reste ton animal de compagnie, n'est-ce pas? demanda-t-elle.

– Bien sûr! dit Nathalie. Cette grande fille va avoir la retraite la plus confortable qu'on ait jamais vue! Je vais lui acheter un grand lit tout moelleux, lui donner des bonbons toute la journée et lui louer des films!

Rosalie voyait bien que Nathalie essayait d'avoir l'air joyeuse, mais ses yeux étaient toujours pleins de larmes.

– Je viendrai la voir et je l'emmènerai faire des promenades, promit la jeune fille. Et elle sera toujours la mascotte de notre classe!

Rosalie savait que ce n'était pas grand-chose, mais elle voulait réconforter son amie.

Pendant le trajet du retour, Nathalie leur raconta les exploits d'Elfie au Mexique.

– Elle a été incroyable, dit Nathalie. Elle a retrouvé cinq personnes coincées à l'intérieur d'un des bâtiments. Cette petite fille était la dernière. Et Elfie a réussi à la tirer des décombres, alors même que son épaule la faisait beaucoup souffrir.

— Elle devrait avoir une médaille, dit Charles.

— Elle s'est conduite en héroïne, acquiesça Nathalie.

M. Fortin avait invité Nathalie à souper et ils allèrent donc directement à la maison. M. Fortin aida Nathalie à transporter Elfie à l'intérieur. Ils l'installèrent près du foyer. Mme Fortin avait cuisiné de la lasagne et du pain à l'ail. La maison sentait merveilleusement bon.

Margot et Biscuit arrivèrent au galop pour dire bonjour à Elfie.

— Doucement, vous deux! fit Rosalie.

Charles attrapa Biscuit et le garda dans ses bras.

Mais Margot se dirigea droit vers Elfie. Elle avait l'air de comprendre qu'il était important de traiter la grande chienne avec douceur et gentillesse. Les deux chiennes se touchèrent le museau, et Elfie agita sa queue. Puis, Margot se roula en boule à côté d'Elfie comme pour la réconforter. Elfie ferma les yeux avec contentement, posa sa tête sur le plancher et s'endormit.

— Elfie est très fatiguée par le voyage, chuchota Nathalie. Mon Dieu, comme elle aime ce petit chiot!

En regardant les deux bergers allemands, Rosalie eut une autre idée géniale. Elle croisa les doigts. C'était sans doute impossible, mais Nathalie serait la maîtresse *parfaite* pour Margot. Après tout, Nathalie allait avoir besoin d'un nouveau partenaire. Margot avait besoin d'une maison. Et Elfie avait besoin d'une amie.

Rosalie leva les yeux vers Nathalie.

– Tu sais, Elfie a vraiment envie d'apprendre à Margot comment devenir un bon chien de recherche et de sauvetage, dit-elle. Margot, elle, adore tenir compagnie à Elfie. Comme ça Elfie ne s'ennuiera pas même si elle ne peut plus travailler.

– C'est drôle – les yeux de Nathalie se remplirent de nouveau de larmes, mais elle souriait – je pensais exactement la même chose.

– C'est vrai, dit Rosalie en tendant le bras pour caresser Margot. Alors, est-ce que ça veut dire que tu vas adopter Margot?

– Exact!

Nathalie embrassa Margot sur la tête.

– Et j'espère aussi que tu m'aideras pour son entraînement!

– Oh oui, avec grand plaisir!

Rosalie était enchantée à l'idée de passer encore plein de temps avec la petite Margot.

Rosalie regarda sa famille. Charles tenait Biscuit bien serré contre lui, mais le chiot réussit quand même à tendre le cou et à lécher le nez du Haricot. Maman flatta Biscuit, et papa passa le bras autour de la taille de maman.

Les Fortin échangèrent un sourire. Une fois encore, grâce à eux, un petit chiot avait trouvé la famille idéale.

EN SAVOIR PLUS SUR LES CHIOTS

Certains chiens sont plus que de simples animaux de compagnie. Les chiens qui retrouvent les personnes disparues ou aident la police sont de vrais héros. Y a-t-il des chiens policiers là où tu vis?

Pour travailler comme policiers ou comme sauveteurs, les chiens ont besoin de beaucoup d'entraînement. Leurs propriétaires travaillent très dur avec eux, mais cela en vaut vraiment la peine. Et quand ces chiens partent à la retraite, ils passent généralement le reste de leur vie avec leur maître et coulent des jours heureux.

Chères lectrices,
Chers lecteurs,

L'une des choses les plus amusantes que j'ai faites dans ma vie a été d'aider une amie à sauver des chiots qui avaient besoin d'un nouveau foyer. Mon amie fait partie d'une association pour sauver les border colleys. Toutes les deux, nous étions allées accueillir trois petits chiots qui avaient déjà traversé quatre États! Nous avons passé l'après-midi à jouer avec eux et à les regarder se courir après. Ils étaient tellement mignons!

Mon amie a gardé l'un des chiots et l'a appelé Bodi. Aujourd'hui, Bodi est une très belle chienne adulte et une bonne amie de Django, mon chien.

Caninement vôtre,
Ellen Miles